李欢　绘/文

重庆出版集团 重庆出版社

图书在版编目(CIP)数据

傀儡娃娃 / 李欢绘. —重庆: 重庆出版社,2006. 6
ISBN 7-5366-7764-2

Ⅰ.傀... Ⅱ.李... Ⅲ.插图—作品集—中国—现代
Ⅳ.J228.5

中国版本图书馆 CIP 数据核字(2006)第 029901 号

傀儡娃娃
KUILEI WAWA
李 欢 绘 / 文

出 版 人:罗小卫
策　　划:陶志宏
责任编辑:陶志宏　石　洁
责任校对:曾祥志
装帧设计:李　欢　曹　颖

重庆出版集团
重庆出版社 出版

重庆长江二路 205 号　邮政编码:400016　http://www.cqph.com

重庆出版集团艺术设计有限公司制版

重庆市金雅迪彩色印刷有限公司印刷

重庆出版集团图书发行有限公司发行

E-MAIL:fxchu@cqph.com　邮购电话:023-68809452

全国新华书店经销

开本:889mm×1194mm　1/24　印张5
2006 年 6 月第 1 版　2007 年 11 月第 5 次印刷
印数:23 001~28 000 册
定价:25.00 元

如有印装质量问题,请向本集团图书发行有限公司调换:023-68809955 转 8005

娃娃留言簿

原来青春就是这样脆弱到无法挽留的东西，
除了记忆，什么也不能永久……

——夏朵朵

黑幕血光闪烁跳耀，娃娃的游乐场永不打烊……

——那小些

简单的漂移，幽径中踏歌轻舞，生活即便是到了尽头，
我们也该如此，别忘了回头，去祭奠……

——雪饮

每一个影子都是孤独的……

——无尾鱼

每个人都有属于自己的城堡，可那座自由之城，
只会出现在我们游离的状态中……

——坏脾气

也许是被一根操控线牵扯出来的情绪，娃娃们都带着主人的忧郁。
人动我动，亦步亦趋；没有爱情，就没有痛苦了吧……

——钟嫣敏

傀儡
娃娃

傀儡娃娃说明书

很久很久以前有一座娃娃城堡

城堡的主人在城堡的地下工厂里

生产华美的傀儡娃娃

满足社会机器的需要

后来城堡破败了

再没有往日的奢华和辉煌

只有蝙蝠和老鼠的盛宴

城堡主人也消失不见

有一天

人们发现城墙外紫色的玫瑰又开了

娃娃城堡再次灯火通明

大厅里闪过舞蹈的身影传出华美的乐声

城堡复活了

不过这次它的主人

是无法停止的娃娃工厂制造出的

傀儡娃娃们……

请仔细阅读我的说明书，
因违背以下准则而引起的一切后果
娃娃工厂概不负责。

第一条：
我永远不会奢求真诚；

我只是一个傀儡娃娃……

第二条：
我永远不会要求自己的生活；

我只是一个傀儡娃娃……

DUMMY DOLL

第三条：
我永远不会要求自由；

我只是一个傀儡娃娃……

第四条：
不要让我看清这个世界和你；

我只是一个傀儡娃娃……

09

第五条：
不要爱上我，
或者让我去爱；

我只是一个傀儡娃娃……

11

第六条：
我不会有自己的愿望，
不会给您带来任何的负担；

我只是一个傀儡娃娃……

——傀儡娃娃工厂制造

不要对我使用爱的借口
我只是一个傀儡娃娃
爱是我的腐蚀剂
会让我透不过气

我只是你的傀儡娃娃
你又是谁的傀儡娃娃？

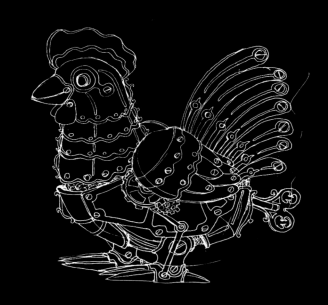

傀儡娃娃日记簿

傀儡娃娃不会背叛
她们永远不会违背说明书的规定
她们只会做仅有的几件自己擅长的事
唱歌　舞蹈
虽然没有观众
但那就是她们存在于世上的全部意义
歌声和舞动的身影唤醒了古老的城堡
紫水晶的吊灯像从前一样明亮
照亮了大理石的回廊
傀儡娃娃坐在黑白格子的地板上
望着对面冰冷的魔镜
看到自己陶瓷一般美丽的脸庞开始锈蚀了

不要告诉我世界上有童话.
爱丽丝会被兔子带往仙境.
王子和公主最终都会幸福地生活.
我只是一个傀儡娃娃.

I am your dummy doll and whose dummy doll YOU are?

我被教导了无数次，
现实一点不要幻想；

那些绚烂的色彩，
只能出现在我的梦里。

19

不要对我说生命之旅很美妙，
我只感到我的每天在重复：

我只是一个傀儡娃娃。

20

bus
stop

21

22

我的主人告诉我,
自由和安逸不可能同时得到。

我选择了安逸,
也选择了重复的每天,
因为我无法感觉到自由的含义。

我只是一个傀儡娃娃。

不要带我到明亮的阳光下，
给我讲动人的悄悄话；

我只是一个傀儡娃娃。

我的世界不是电影,
你看不透我
因为我的心寄放在主人手里;
我只是一个有完美外壳的
傀儡娃娃。

你看电视里的斑马，
胆小柔弱又擅于逃跑；
就为了守护那一点自由；

我不需要逃跑，
我只是一个傀儡娃娃。

傀儡娃娃是需要伪装的：

我用主人的赏赐，
疯狂地打扮自己，
因为不知道什么时候，
主人会把我们放进屋子的角落，
我仅有的一点目标也将失去。

一个词在我耳边忽隐忽现：
自由；
可当我扯断手脚上的丝线去拥抱她时，
却重重摔在地上，
再不能动弹；
自由，
真的如此沉重？

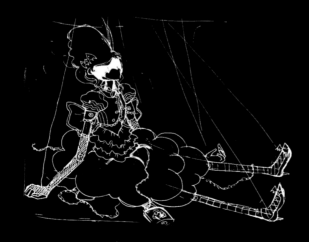

铁皮娃娃和发条公主

每一个女孩都幻想是娃娃
可以有瓷白的肌肤和绸缎的头发
可以穿着圆头皮鞋在城堡里任性
娃娃工厂的秘密因为城堡的复活而传播
怀揣痛苦的胆小女孩
攀上峭壁走进了城堡大门
经过忘却的花园
来到娃娃工厂的魔法大机器前
实现一个只有自己知道的愿望
新的傀儡娃娃走出了城堡
带着惯有的美丽微笑
忘却的花园和娃娃工厂
让她们只记得现在
而不再需要过去和将来

她的生命只能由旋转发条的人赐予，
她被华丽丽的铁皮外壳包裹；

她不敢去远方，
因为不知道发条什么时候会停；
她无法感受真诚的世界，
因为铁皮冰冷没有感觉。

她曾经奋力奔跑，
跑向地平线上的美景，
却因为发条停摆而倒下；

她曾经认为自己丑丑而自卑，
为了追求娃娃一样的外表，
放弃了真实的表情；

在一个未知的将来面前，
她们虚弱地快乐。

不要可怜我，
我过着每天只须上满发条的轻松生活，
我拥有充满别人爱慕的外壳；
我的主人会永远地给我上好发条，我无须担心什么；
主人也会让我每天像瓷娃娃一样的美丽，我不会盼望什么。

你是在忌妒我吧？

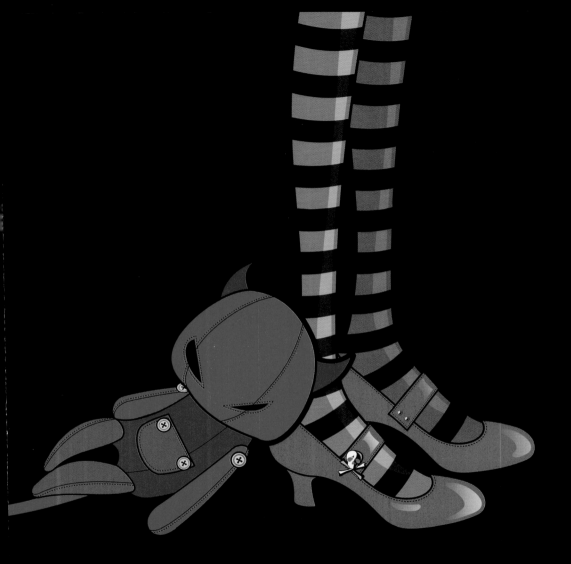

41

笼子里长大的金丝雀，
并不想离开这份安逸；
她比森林的金丝雀漂亮、高贵，
不愁吃穿；
于是，金丝雀妈妈们，
都费尽苦心把自己的孩子
送进了狭窄的笼子，
离开了广阔的森林。

假面的女王

娃娃城堡里曾经有一位假面的女王
传说谁也没有看见过
她的本来面目
她每一次华丽的出现
都掩藏在完美的面具后
让所有的人赏心悦目
假面女王的宫殿
隐藏在忘却花园的深处
也许她是胆小
或是高傲
也许她也有满屋子的高跟鞋和蔷薇香水
也许她曾经是一个傀儡娃娃
也许永远不会有人清楚

under
mask

44

每个人都得躲在属于自己的面具下,
也许是她自己选择了做假面的女王?

45

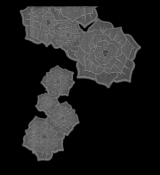

她的神秘面具后面
也许藏着铺满玫瑰的大道,
淡黄色卷卷发,
和黑色连衣裙……

也许还有镜子里的那个
曾经真实的孩子?

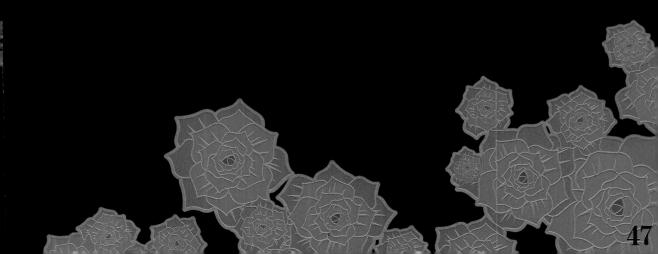

48

也许她和我们一样.
觉得镜子里的自己
就像一个陌生人?

49

也许她是在小心翼翼地守护着
仅剩的一点天真：

那么的小心．
因为周围空气很浑浊．
因为它已经很虚弱？

也许她也曾梦想是城堡里的公主,
就像每个傀儡娃娃一样;
也许她的面具
是坐上宝座的代价?

也许她很无奈，
面前人们的脸像玩偶一般重复。
加入他们会让自己轻松一些？

也许她躲在面具后太久，
已不会真实的微笑？

55

KEEP OUT

2 KEEP

KEEP OUT

KEEP OUT

85

57

也许她习惯了孤独，
习惯了躲起来？
也许她正在封闭中享受安全感，
偷偷看着我们
像花丛中脆弱又骄傲的蝴蝶，
不知道保护自己？

也许，
她曾经是耀眼的女王，
雄心勃勃，
要建好大一座城堡？

也许她只是自己心中的女王，
在布景的舞台上，
在众人的欢呼中，
出演了人生的华丽；

最后却发现，
自己不过是个道具？

假面的女王沉迷在了
面具后的从容世界
直到有一天她发现
自己看到的也不过是别人面具外的脸
隐藏了真实表情的自己
将注定永远得不到真爱

恋物嘉年华

傀儡娃娃不能爱上一个人
只好把刚发芽的爱播撒到城堡的角落
她们爱上城堡外的玫瑰
爱上玫瑰提炼的血色香水
她们爱上紫色水晶吊灯
爱上忘却花园的刺藤
她们爱上墙壁上的魔镜
爱上黑白的地板
爱上有小恶魔跳舞的音乐盒
爱上神秘又无法读懂的魔法书
当她们再次经过魔镜前
一不小心又爱上了镜中的自己

不要教我遐想，
站在华丽的舞台中央，
看着闪烁的灯光……

我只是恋上了那把吉他，
会不会弹奏已经不重要了；

背上它
我可以告诉自己，
我不只是一个傀儡娃娃。

在这个缤纷庞大的世界,
我渺小得如同尘埃。

71

DUMMY
DOLL

我不要灿烂夺目,
我只想被我的玩具娃娃抱着,
听它的情话:
谁也不会注意到的小小角落里,
尘埃一样细小的悄悄话:

我不是一个孤单的傀儡娃娃。

不要让我期待.
在游乐场装饰着彩灯的大屋顶下.
坐上华美绚烂的旋转木马。

Welcome

旋转木马上的幸福，
在于身边爱人的温暖眼光；

而我只是一个
深夜偷偷坐上木马的傀儡娃娃，
我只是恋上了
和我一样漂亮孤独的木马。

不要让我喜欢上旋律的美妙，
不要让把自己的世界写成歌词，
不用倾听我的自言自语。

79

我只是恋上了那支泛旧的话筒,
那个泛旧的舞台
那些泛旧的灯光
就和我那个泛旧的梦里的一样;

有了它们我可以对自己说,
我不只是一个自言自语的傀儡娃娃。

81

不要让我爱上
霓虹灯光中的繁华。

83

I am
your
dummydoll
whose
and
dummydoll
doll
you are?

84

我只是恋上了橱窗里的人形娃娃，
我虽然站在橱窗外，
却也在一个更大的橱窗里，
就和她们一样：

我不是一个特立独行的傀儡娃娃。

其他娃娃都已被主人带回家,
只有我还孤单地站在橱窗里:
摆着最好的造型。

87

不要让我渴望拥有一间
复古风格的玩具店，
满屋子的娃娃公主。

88

我只是恋上了那些木头娃娃公主,
木料和黑漆混杂的香味;

每个人都爱过那些木头玩具,
让它们幸福过。
可是长大后都把它们埋葬或锁进了箱子里;
你难道没有听见它们的哭声吗?

我就是一个幼稚的傀儡娃娃。

93

94

我只是恋上了封闭的空气,
寂寞的回声;

牵起丝线,
看我的傀儡娃娃跳舞一整天,
享受暂时做它主人的时光;

我不只是麻木的傀儡娃娃。

不要教我在纸上
画些别人看不懂的小画，
稀奇古怪的汽车，
还有奇怪打扮的我。

我只是恋上了那薄薄的小世界：
仙境的童话，
王子的爱情，
我期待了很多年的圣诞老人……
我想永远躲在他们身后：
我只是一个胆小的傀儡娃娃。

不要为我哀叹，
我有我的骄傲，
我是最好的傀儡娃娃，
我只等着最爱我的主人。

99

为什么我在期待每天从我橱窗前经过的你，
难道这就叫梦想？

请剪断我手脚的丝线带走我，
让我回头看看橱窗里新放上的傀儡娃娃，
是不是和我曾经一样漂亮？

吸血鬼的情人节

墙壁上的魔镜目睹了城堡所有的历史
偏把这个传说偷偷告诉了傀儡娃娃
玉石般洁白的娃娃城堡里
曾经住着一位同样洁白的吸血贵族
他在城堡周围种满了钟爱的血红玫瑰
和他的美丽女孩幸福生活在一起
他们在城堡的地下建造了魔法的工厂
生产出无数的傀儡娃娃
给城堡带来了生气
后来他的家族遭人类攻击而分裂
城堡渗透了他所有的痛苦回忆和鲜血
胆小的他在情人节那天消失不见
留下愤怒的黑魔法把城堡笼罩多年
有一天变成黑色的城墙外开出了紫色的玫瑰
大厅里再次灯火通明
傀儡娃娃们不断地在城堡里
寻觅主人的声音……

在紫水晶吊灯下面
想起主人的话……

如果我
是一个终日躲在自己城堡的吸血鬼，
你会爱我吗？

如果我
痴迷于别人眼中阴暗的黑色，
就像电影里的奇怪古宅主人，
你还会爱我吗？

在黑胶唱片的乐曲声中
想起主人的话……

如果我的世界像水晶般易碎，
只想用笼子把自己保护起来，
你会爱我吗？

如果我
厌恶你们所崇拜的十字架，
你还会爱我吗？

108

l'huan's doll & toyshop

popkiller

111

如果我
是一个偷跑出城堡的吸血贵族，
却在别人眼里被看成怪物，
你会爱我吗？

如果我
不愿和你享受灿烂的阳光，
那会让我融化，
你还会爱我吗？

我只是一个怪物：
再尊贵的吸血贵族，
在庸人眼里也会被当作怪物看待，
只因他们无法理解我的生活方式；

你相信吗，吸血鬼也过情人节的，
我们比谁都爱血红的玫瑰；
有这一个共同点，
就足够让我爱你。

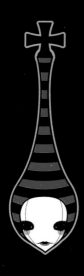

当吸血贵族为了爱被阳光处决
当假面的女王发现有一天她的面具再也摘不下来
当发条公主在回城堡的路上发条停摆
当铁皮娃娃的华丽外壳开始生锈
傀儡娃娃合上这本黑色魔法书
发觉自己在忘却花园里迷路已经许久
只有城堡主人的雕像听见了她的祈祷

请不要把我遗忘
我只是一个傀儡娃娃

116